너를 기다려

I'll be here for you.

1

이현숙

죄송합니다.
차가 막혀서…

누가
말대꾸하래?

뭐해??
빨리 운전
안 해?

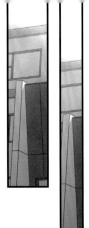

면접이
몇 시라고 했죠?

3시요.

도착할 때가
됐는데….

딸랑

저기 오네요.

어?

백선우 씨?

면접 보러 오신
백선우 씨 맞죠?

아, 네-.

이쪽으로 와서
앉으세요.

나를
못 알아보나?

하긴… 십 년도 더 지났으니
못 알아보는 게 당연한가?

…아니면….

안녕하세요.

백선우라고
합니다.

어디서
본 것 같은데…

아—
그때 주차장의….

그럼 저 사람이 아까
놀란 표정을 한 것도,
그때 나를 봐서?

아니… 그럴 리는 없다.

너무 어두웠고,
그럴 경황도 없었을 텐데….

의대 중퇴, 택배 상하차,
대리운전….

이 력 서

성명 백선우

생년월일 199x년 4월 12일

whitexx@daexon.com

현주소 서울시 중구 00동 458번지 5-3 옥탑층

연락처 010-4402-36xx

학 력 사 항

기 간

201x~ 201x 서울s대 의대 중퇴

경력 및 자격사항 등

기 간

택배상하차

이력서가 너무 정직하네.

나한테
무슨 할 말이라도
있나요?

아,

아닙니다.

얼굴에 아직도
멍자국이 좀 남았군….

…이력서를
보니,

이전에
대리운전을 하셨던데,
왜 그만두셨죠?

손님하고 트러블이 있어서…

알겠습니다.

그만 돌아가셔도 됩니다.

합격 여부는 전화로 알려드리죠.

별론가요?

아뇨,
다음주부터 출근하라고
연락하세요.

근데, 손님하고 트러블이 있어서 대리운전 그만뒀다는 게 좀 걸리네요.

혹시 겉보기완 다르게 말썽을 많이 일으키는 타입인 건 아니겠죠.

그건 아닐 겁니다.

손님한테 맞을 때 나도 봤어요.

네?

우리 가게 손님이었나 본데, 늦게 왔다고 다짜고짜 뺨을 때리더군요.

네??

표정이-

왜 안 말렸냐는 것
같은데-.

말릴까도
생각했지만,
싸움에는 끼어들지
않는다는 원칙이
있어서요.

거짓말…

아무튼,
진상 손님을 만나도
참을성 있게
대할 것 같아요.

기유정이 날
못 알아보는 게

다행인 건지,
서운한 건지
모르겠네…

기유정은, 정말 날
기억 못 하는 걸까?

아니면,

나를 기억하기 싫은 건지도 모르지…

그럴 만하니까.

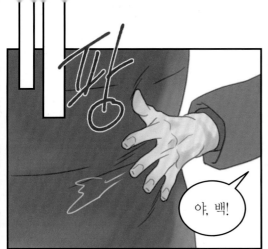

야, 백!

네 얼굴 보기 참 힘들다. 귀하신 분.

미안.

넌 나한테 잘해야 할 의무가 있는 거 잊었어?

......

혹시 귀가 안 좋아졌어?

장난이잖아,
새X야!

아! 하하.
난 또ㅡ.

그래서
이젠 또
뭐 할 거야?

면접 본 곳은
있는데.

그래?
뭐 하는 곳인데?

음식점.

근데….

?

동규야,
나 사실은…

기유정 만났어─.

아니다.

채용될 거야, 걱정 마.

어.

채용됐으면 하는 마음 반,

안 됐으면 하는 마음 반이지만…

인간의 기억은
선택적이라고 한다.

그때 당사자들의
얼굴은 기억이 나지 않지만,

그 애를 때린 순간의
시선,

공기의 흐름,

숨소리 같은 건

마치 박제한 듯
선명하게 남아있다.

그 사건은 내게
트라우마의 원인이 되었고,

그 후 나는 싸움이 날만한 일은 피하고 있다.

너를 기다려

I'll be here for you.

조금만
더 자자,
동규야.

너 껴안고 자는
버릇 좀 고쳐.
네 거시기가
내 엉덩이를
찌르잖아,
새X야.

아침엔
어쩔 수 없는 거
너도 알잖아….

신경 쓰지 말고
두 시간만 더 자자.
내가 해장국
사줄게.

아—
진짜!

벌컥
벌컥

퍽

크하!
맛있다!

……

근데 은아는
왜 동창회마다
빠지냐?

연애하느라
바쁜갑지.

은아
연애해?

내가
어떻게 알아?

방금 네가
연애하느라
바쁘다며.

그냥
그럴지도
모른단 거지.

정말
연애하나?

······.

아침 8시 출근에 저녁 10시 퇴근이지만,

상황에 따라서는 12시에 퇴근할 수 있습니다.

셰프 장노아 씨와 수셰프 박창수 씹니다.

꾸벅

현재 주방 인력이 한 명 부족한 상태라, 백선우 씨는 기본적으로 서버로 뽑혔지만

경우에 따라선 자잘한 주방 일을 도와야 할 수도 있어요.

제가 백선우 씨를 왜 뽑았는지 알아요?

One

OPEN 10:30
CLOSE 21:30
BREAK TIME 15:00~17:00
매주 월요일 휴무

아뇨.

학력 때문입니다.

의대 중퇴.

서버는 생각보다 외울 게 많습니다.

손님에게 요리에 대한 전반적인 설명을 해줘야 합니다.

어떤 재료를 어떤 방법으로 요리했는지 등등.

그리고, 이런 가게에서 사실 제일 중요한 세일즈 포인트는 '와인'입니다.

주류 판매로 적자를 메우는 경우가 많아요.

손님들의 외모만 보고 재력을 판단해서

와인을 추천하는 요령을 배워야 합니다.

자신은 없지만
해보겠습니다.

좋아요.

뱅존(Vin Jaune)으로
만든 소스입니다.

뱅존은
세계 미식가협회에
등록돼있는,

죽기 전에
꼭 먹어봐야 하는
옐로우 와인입니다.

적당한 거리에서
손님의 식사 과정을
체크합니다.

서빙 한번
해볼래요?

네.

아뮤즈 부쉬
(amuse-bouche)
입니다.

어때요?

서빙하는 모습
찍어서 인스타에
올려요.

저 얼굴이면
아마 손님을
꽤 늘일 수
있을 겁니다.

백선우

저 여자가
여기 대표야.

실질적인
오너지.

사장이 원래
호빠 출신인데,

대표
눈에 들어서
사장자리 꿰찬,

남자
신데렐라라는
얘기가 있지.

너를 기다려

I'll be here for you.

일찍
나오셨네요?

백선우 씨도
일찍 나왔네요.

재료
손질할 게
있어서요.

일은
할만 합니까?

아직은
뭐가 뭔지
모르겠어요.

그냥
시키는 대로만
하고 있어요.

시키는 대로
하는 게 사실 제일
중요한 겁니다.

손에 익으면
제가 요리해
드릴게요.

그래요?
기대하죠.

안 되면
떡볶이라도
만들어
드릴게요.

아, 오늘 백선우 씨 환영회 회식 있는 건 알고 있죠?

네.

…우리 언제 만난 적이 있던가요?

네?

무슨 소릴
하는 건지.

방금 한 말은
잊어요.

아, 네…

나는 기유정이 날
알아보길 원하는 걸까,

아니면, 못 알아보길
원하는 걸까…

근데,
기유정이
날 알아보면

당장
잘릴지도…

미쳤나….

무슨, 남자가 여자 꼬실 때나 하는 말을….

하지만,
정말 낯이 익다.

그때 주차장에서 봐서 그런 게 아니라,

더 오래 전에 알았던 것 같은….

저번에 셰프님이 이상한 애길 하시더라구요.

뭐?

그…
사장님이 호빠 출신에

대표님 눈에 들어서 사장 자리 꿰찼다는 식으로…

제 위치가 이래서 말은 못 했지만,

그런 얘기 함부로 해도 되나요? 엄연히 명예훼손인데.

어, 그렇긴 한데, 그게 또 없는 얘긴 아니거든.

없는 얘기가 아니라뇨…?

이 바닥에서는 좀 유명해.

…….

기유정…

도대체 어떤 인생을 살아온 거냐….

아니다.
난 기유정을 판단할
자격이 없다.

기유정이
그렇게 학교를 떠난 후
어떻게 살아왔는지
모르잖아.

선택지가 없는
삶이란 것도 있다.

머리로는 알겠는데,

그래도…

대리비
백선우 씨가
내줄 겁니까?

네,
내드릴게요.

됐습니다.

여기서부턴 제가 알아서 하죠.

너를 기다려

I'll be here for you.

너를 기다려

I'll be here for you.

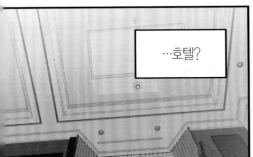

…호텔?

왜
호텔에??

기유정?

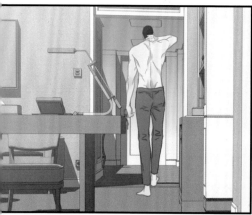

아ー.

미안해요.

빠
아

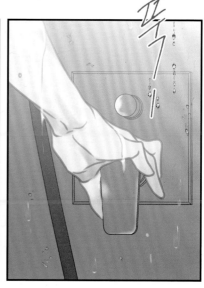

픅

죄송합니다. 허락도 없이 멋대로 샤워해서-.

금방 나갈게요.

급하지 않으니까 천천히 나와요. 그동안 룸서비스 부를게요.

아침 먹을 거죠?

근데….

왜 반쯤 발기해 있는 거지??

아침 발기?

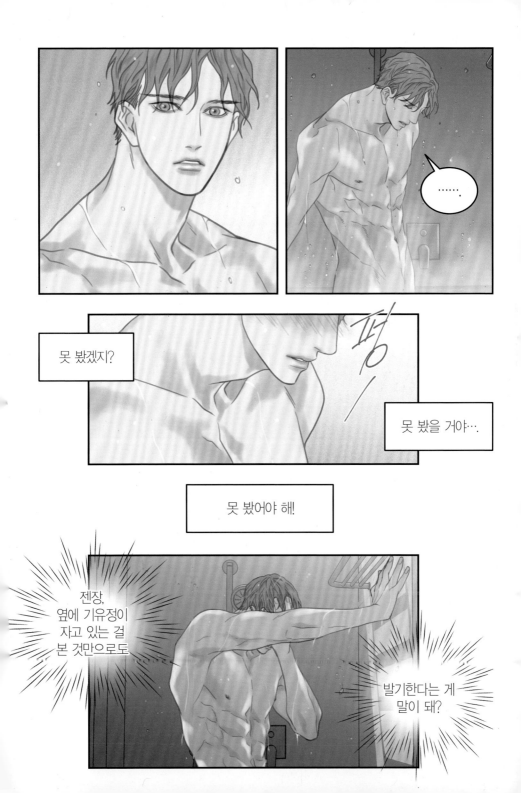

난
아무 짓도
안 했다.

난
아무 짓도
안 했다.

난
아무 짓도…

아, 모르겠다.

그냥 나갈 때까지 아무렇지도 않은 척하는 거야.

……

자괴감.

잘 먹겠습니다.

......

그런데,
저 때문에
호텔로
오셨나요?

아뇨,
호텔에서
지냅니다.

왜
호텔에서…?

세금처리용입니다.

…혼자 지내시나 봐요?

탁

뭐가
궁금한 거죠?

죄송합니다.

네,
세령 씨.

…오늘
밤이요?

그럼 9시쯤
갈게요.

궁금한 건,

이제
풀렸어요?

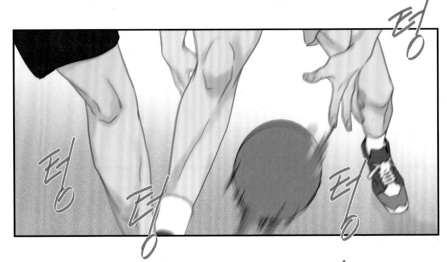

야,
그건
반칙이지!

180 넘는 게
너 하나밖에
없는데.

덩크
금지!!

형은
레이업 숏 하면
되잖아요.

레이업은
폼이
안 나잖아.

레이업이 왜
폼이 안 나요.

얼마나
멋있는데-.

누가 그렇게
멋있는데.

있어요,
그런 사람.

그럼, 9시쯤 갈게요.

그 사람하고 만나는 거겠지?

기유정….

넌 왜 또다시 내 앞에 나타나서, 미련을 못 버리게 만드는 거야….

점심 드시고 하세요.

막내.

네.

내일 아침 7시에 식자재 오는 건 네가 좀 받아라.

네.

......

냄새 나는 음식은 될 수 있으면 나가서 먹고 오세요.

죄송합니다.

먹고 냄새 뺄게요.

별로 냄새 나는 것도 아니구만.

기왕 사온 건데,

사장님도 떡볶이 같이 드시죠.

됐습니다.

떡볶이
안 좋아하세요?

그렇게
선호하진
않아요.

고등학생 때
걸핏하면 떡볶이
타령하는 놈이
있었는데

덕분에
떡볶이라면…

…….

질.렸.거.든.요.

아….

너

를

기

다

려

I'll be here for you.

…우야.

백선우!

어,

어?

너 기유정
좋아해?

어?

티나?

많이 나.

너 뻑하면 기유정 쳐다보고 있다고.

으아! 진짜?

어떡하지? 기유정도 눈치챘을까?

그거까진 모르겠다.

기유정 워낙 아싸에 주변에 관심 없잖아.

언제부터야?

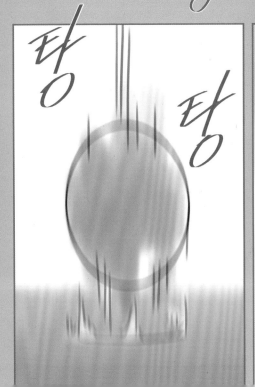

아까 그 동작으로 수행평가 하잖아.

내가 체육실기 점수가 간당간당한데, 네가 나 좀 가르쳐주면 안 될까?

내가 아는 곳이 있는데, 거기 떡볶이 진짜 맛있어.

대신 내가 떡볶이 쏠게.

넌 대학 어디 갈지 정했어?

난 대학 안 가.

어?

아—
기술 배울 거야?
그것도 좋지.

대학 나온다고
취직 잘 된단
보장도 없고.

기술이라도
배울 수 있으면
좋긴 하겠네.

……

야, 백!

너도 떡볶이 먹으러 왔냐?

어?

동규야,
난 닭강정이
먹고 싶구나.

엥??
너 아까 떡튀순
노래 불렀잖아.

갑자기
치느님이 더
먹고 싶다고!!

뭐야?

뭐가?

뭐 있지?

뭐가
있는데?

저녁 먹은 게
안 꺼지네.

엄마랑
산책 안 갈래?

그래요.

어?

엄마, 천천히
돌다 가세요.

난
같은 반 애랑
잠깐 얘기하다
갈게요.

뭐??

너무
늦게 오면
안 돼!

네.

108

생각보다
빨리 뛰잖아?

따라잡기
힘드네.

와,

하아

너 진짜
빠르구나.

아아

하

하

어?

110

뭐야?

놀랐잖아.

…….

땀이었나?

111

너 근데 맨날 이렇게 뛰어?

맨날은 아냐.

……,

무슨 일 있어?

무슨 뜻이야?

뭔가 답답해서 뛴 건가 했지.

……,

꾸욱

……

뭐 먹으러
갈래?

또
떡볶이?

떡볶이
별로야?

그럼
면류는 어때?
우동? 라면?

너 혹시
떡볶이 먹을 핑계로
농구 가르쳐달라고
했어?

…하하,
글쎄.

근데 나
돈 안 가지고
나왔다.

……

너희 집에서
라면 끓여주면
안 돼?

우리 집,
반지하에 낡고
지저분해.

괜찮겠어?

114

그런 건
왜 따지는데?

왜냐면
너,

아무데나
앉지도 않을 것처럼
생겼으니까.

하하,
안 그래.

나도
아무데나
앉아.

나는 네가
왜 나하고
어울리려는지
모르겠다.

엄마, 산책 안 갈래요?

매일 나오는 건 아닌지도 몰라.

그리고, 시간대가 안 맞는 걸 수도 있고…

그때처럼 한 번만 더 운이 좋았으면….

어제 산책로 뛰었어?

아니.

왜?

그냥.

정기적으로 운동하는 거면 같이할까 해서.

정기적으로 운동하는 거 아냐.

그래, 하하.

119

야, 백!

너 기유정하고 언제부터 친해진 거야?

나만 빼고 말이야.

친하다기 보단….

친해지고 싶은 거지.

그런 애랑 왜 친해지고 싶은 건데.

탱

탕

훅

출렁

…뭐?

실기 점수가
간당간당해?

유정아.

농구
잘하던데?

어?

나한테
배울 필요 없어
보이던데?

아….

그게-

너한테 배워서
잘하게 된 거야.

하!

너를
기다려

I'll be here for you.

의대 중퇴···

의대생이면 뭐해?

지금은 내 밑에서
임시직이나 전전하는….

X발!

그때나 지금이나
사람 기분 X같이
만드는 백선우.

왜?
별로야?

아뇨.

썩 마음에
드는 건
아닌가 봐?

별로면
적당히 트집 잡아서
자르고 다시 뽑아.

시급이 세서
금방 뽑을 거야.

네.

기유정이
날 기억해냈으니
자를지도 모른다.

아니면,

아직 별말 없는 거 보면
안 잘리는 건가….

잠시만요.

요리가
바뀌었어요.

코스
못 외웠어요?

죄송합니다.

이걸로는 요리 못 해.

냄새가 난다고.

무슨 일인가요?

재료에 문제가 있어서요.

식자재 받을 때 검수 안 했어요?

막내야. 식자재 오늘 네가 받았지?

받을 때 확인했어야지.

막내.

내일 아침에 식자재 오는 건 네가 좀 받아라.

네.

그때, 특별히 주의사항이 있었던가…

…죄송합니다.

미처 몰랐어요.

모른다는 게 말이 돼?

이런 걸 꼭 가르쳐줘야 하니? 응?

죄송합니다.

재료에 문제가 생겨서 다른 요리를 준비했습니다.

대신 오늘은 전부 서비스로 드릴 테니

다음에 다시 주문 주시면 그땐 실수 없이 준비하겠습니다.

아, 오늘 생일이라 예약한 메뉴였는데….

정말 죄송합니다. 생일이시라니,

샤르도네 (Chardonnay) 샴페인을 서비스로 드리고 싶은데, 어떠세요?

어머, 정말요?

그럼 준비하겠습니다.

사장님… 오늘 손해 보신 거,

제가 책임지겠습니다.

백선우 씨 돈 많은가 봐요?

아 참,

백선우씨 집 **부.자.**였지.

아뇨,

저 돈 안 많아요.

사장님께 손해끼치기 싫어서 그런 겁니다.

왜요? 백선우 씨 잘 살았잖아.

집이 망하기라도 했어요?

사장님.

제가 사장님을
좋아한다고 해서,

그게 저를
함부로 대해도 된다는
의미는 아닙니다.

뭐?

나, 방금

자살골 넣은 거지?

백선우,
너 게이야?

그딴 눈으로
쳐다보지
말아줄래?

기분
더러우니까.

동규야, 나 또 잘릴지도 모르겠다.

왜?

또 진상손님 만났냐?

너는 체내에 진상을 끌어당기는 자석이라도 탑재돼 있냐?

아니-.

이번엔 아무래도 내가 진상이 된 것 같아.

제가 사장님을
좋아한다고 해서,

그게 저를
함부로 대해도 된다는
의미는 아닙니다.

백선우가―

…불편하다.

별로면 적당히 트집 잡아서 자르고 다시 뽑아.

사실은

식자재 확인은 경력 있는 사람이 해야 하는데

자기가 아침 일찍 나오기 싫으니까 너한테 떠넘긴 거야.

사장도 알면서

셰프 심기 건드릴까 봐 만만한 네 탓 한 거고.

막내야, 세상이 원래 그렇다.

이런 저런 더러운 꼴 봐도 그냥 참아 넘겨야 살아남는 거야.

네…

사장이랑 셰프, 둘 중 누가 더 얄밉냐?

음-.

셰프님?

엥?
더 심한 말은
사장이 했는데?

사장님은
미워할 수
없어서요.

그건 또
뭔 소리야?

그런 게
있어요.

백선우 씨,
잠깐 얘기 좀
할까요?

……

저, 잘리는 건가요?

뭐?

저 자르려고 부르신 거 아닌가요?

......

공사도
구분 못 하는
사람 아닙니다.

그럼 왜…

큼-.

그-

의대는 언제
중퇴했어요?

......

본과
4학년 때요.

......

이거
미친놈 아냐?

의대 포기하고 뭐 할 생각인데요?

연예인?

쫓겨날 만하네.

네? 연예인이요?

사장님 보기보다 엉뚱하시네요, 하하.

아니, 외모가 그러니까 혹시나 한 거죠.

외모요?

에이, 그 정도는 아닌데요.

그럼 뭔데요?

캐릭터 디자이너가 되고 싶어요.

그게 뭐 하는 건데요?

혹시 게임 하세요?

아뇨.

아, 그럼 언제 한번 게임하러 가실래요?

게임할 줄 몰라요.

제가 가르쳐드릴게요.

뭐 그러든가.

진짜요??

언제요?

이번 휴일에 가실래요?

2시쯤 만나서―

백선우 씨.

네?

네.

그냥 해본 말이에요.

구분이 안 가나?

아….

그렇군요….

하, 저렇게
실망한 티를 내나?

게임이 그렇게
좋아요?

아니,

게임이
아니라….

…가봐요,
그만.

……

네.

꾸벅

뭐 하자는 거야,

백선우.

너를

기다려

I'll be here for you.

농구 끝나고 형이랑 저녁 겸 맥주 한잔하고 있는데,

동규 너도 이쪽으로 올래?

너는 나 만나 줄 시간은 없어도

농구하고 그 형 만날 시간은 있지?

내가 언제든 집에 와도 된다고 했잖아.

와서 나랑 하루종일 같이 자자니까.

됐어,

X새끼야!

선우야,

내가 전부터 생각해봤는데,

혹시, 동규가 애인이야?

예??

아니에요, 하하.

따로 좋아하는 사람 있어요.

......

괜히 쫄았네

짝사랑?

꼬덕

그 얼굴로 뭐가 모자라서 짝사랑을 하니?

너무 오랫동안 짝사랑을 해서인지

사실 이 감정이 뭔지도 모르겠어요.

167

어쩌면 습관적으로 그 애를 쫓고 있는 건 아닐까….

그런 생각은 들어요.

…….

제대로 고백은 해봤어?

비슷한 건 해봤어요.

그래서?

없었던 일처럼 넘어갔어요.

그럼 다시 제대로 얘기해 봐.

근데 애인이 있어요.

야! 그럼 더 잘됐네.

시원하게 지르고 차여!

그래야 미련을 버리지.

근데 같은 곳에서 근무하는데, 그럼 더 이상 거기 못 다니잖아요.

같은 직장 사람이라고?

너도 참 인생 피곤하게 산다.

하하….

동규야, 여기!

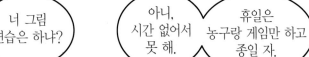

너 그림 연습은 하냐?

아니, 시간 없어서 못 해.

휴일은 농구랑 게임만 하고 종일 자.

너 직장은 대체 왜 구했냐?

안정적인 수입이 있으면 그림에 전념할 수 있을 것 같다며.

어쩔 수 없잖아.

신티크랑 컴 사느라 할부 질러서, 월세랑 할부금 갚으려면 일단 돈부터 벌어야 하니까…

그리고 너,

매번 인간쿠션 취급하는 거 그만두지 못해?

그치만, 우리 동규는 사이즈가 정말 딱이란 말야…

이 새X가….

헤헤.

한 분이신가요?

자리로 안내해 드리겠습니다.

형?

여기 맞구나.

다행히 제대로 찾아왔네.

무슨 일이에요?

식사하러 여기까지 온 거예요?

네가 짝사랑한다는 사람이 어떤 사람인지 궁금해서 왔지.

…근데

왜 남자밖에 없냐?

아, 그—

오, 오늘은 안 나왔어요.

그냐? 쩝…

알았다. 할 수 없지.

끝나고 한잔하러 가자. 내일 휴무 맞지?

누군가요?

아, 백선우 씨 지인인 것 같은데요.

담배
피셨어요?

가끔요.

언제부터
피셨어요?

……

직장에서
배웠어요.

내가 모르는 기유정의 과거….

대표님과는
언제부터
사귀셨어요?

3년 정도
됐네요.

저—

사장님
찾아갔었어요.

······

사장님이
교무실을
뛰쳐나간 후

사장님 댁에
찾아갔는데
아무도
없더라구요.

…….

그 후 어떻게
지냈어요?

늘
궁금했어요.

늘 찾고
싶었는데ㅡ.

무서워서
못 찾았어요.

사장님이
아직도 나를
미워할까봐….

너무
찾고 싶었어….
그랬는데…

무서워서
그럴수가
없었어…

사실, 그때

집앞에 서성이는
백선우를 멀리서 봤지만,

숨었다.

왜인지
백선우를 보는데

눈물이
쏟아졌다.

바보 같이,
왜….

그게 너무
부끄러워서

선뜻 나설 수가
없었다.

다 왔네요.

그-.

?

......

나도 합석해도 될까요?

예??

가게 사장님이신 기유정 씨.

어... 반갑습니다.

동규도 부를 거지?

저번에 괜찮은 가게 봤거든.

담엔 거기 가보자.

언제요?

다음 주 휴일에 같이 가자.

휴일에 할 일 많은데…

형, 친구 좀 사귀어요.

술 마실 사람이 어떻게 나밖에 없냐고.

너밖에 없으니까

불쌍하게 생각해서 나랑 놀아주라.

내가 여기서 뭘 하고 있는 거지…

이분
아시죠?

여기
장기투숙
한다던데.

네,

룸으로 안내해
드리겠습니다.

어디가요?

집에─

가야죠.

여기서
자고 가요.

네?

여기서
자고 가라고.

어차피
휴일이잖아.

......

뭐지??

새로운 종류의 고문인가?

자는 사람한테
키스하면

성추행….

하하.

어쩐지….

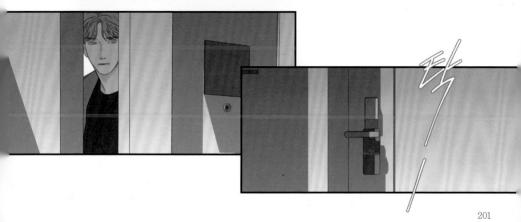

너를

기다려

I'll be here for you.

…….

저기선 내가
안 보일 텐데,

바보같이…:

백선우 씨.

네?

얼굴이
왜 그래요?

다크서클이···.

아— 잠을
설쳐서···.

그-.

취해서 기억이 안 나는데,

어제 백선우 씨가 호텔까지 데려다 줬다면서요?

…….

…….

네….

고마웠어요.

딱!

기억이 안 나?

나는 하루종일 고민하느라 잠도 제대로 못 잤구만.

미남도 못 자면 못 생겨지는구나.

크흐큭

하하

그래도 너보단
잘 생겼다는 거.

아,
셰프!

......

약간
그렇긴 하다.

무슨
문제라도
있으신가요?

그게…

비린내가
나요.

......

애기 좀
해요.

담배
폈어요?

요리 중엔
담배피지 말라고
했잖아요.

......

그리고,
3번 테이블 손님이
비린내가
난다고 해요.

다시 해요.

뭐?

그게
내 탓이란
거야?

그럼 누구
탓인가요?

그 손님 코가
너무 예민한 거
아냐?

그런 손님까지
고려해야 하는 게
요리사죠.

요리사가
무슨 신이라도
되는 줄
알아?

내가 접시에 지문 남기지 말랬지.

……

…죄송합니다.

장노아 씨!!

셰프님이라고
불러.

셰프님 소리
듣고 싶으면

걸맞게
행동해요.

이걸로 찜질하고,

멍 빼는
연고도 있으니
그거 바르고
쉬고 있어요.

나머진
매니저와 내가
알아서 할 테니.

괜찮습니다.

그 얼굴로는
서빙 못 하니까

가라
앉히라고요.

…….

네….

바쁜데
죄송합니다.

백선우 씨가
왜 죄송하지?

제가 접시에
지문을 남겨서
셰프님이–.

백선우 씨
지문 안 남긴 거
알아요.

나한테
자존심 상한 거,
제일 만만한
백선우 씨한테 화풀이
한 거겠지.

달칵

어디 갔었어?

내가 널 얼마나 찾았는지 알아?

......

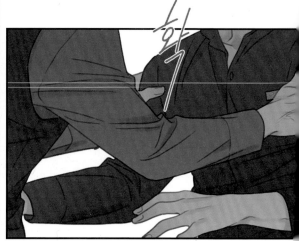

정신 차려,
백선우.

열이 나요.

오늘은 일찍
들어가봐요.

탁

그럴 기분이
아니에요.

무슨 일
있어?

셰프를 잘라야
할 것 같아요.

……

프랑스 미슐랭
2스타 가게에서
스카웃해 온 거야.

인스타
팔로워도 많고.

그럼
뭐 해요.

최근
메뉴 개발도 안 하고,
점점 게을러지고
있는데.

대충 해.
가게 매상 크게
신경 안 써도 된다고
했잖아.

가게가
그것만 있는 것도
아니고.

그 사람,
처음부터 나하고
안 맞았어요.

셰프가
왜 널 싫어하는
줄 알아?

…….

내가 프랑스로
직접 스카웃하러
갔었는데,

그 사람
나하고 잘될 줄
알았거든.

근데 한국에
오니까 네가
있는 거지.

깔 깔 깔

질투 안 나?

납니다.

내 가게다.

어떤 방법으로
손에 넣었든

이건 내 가게다.

내 손을 거쳐

하나라도 내 힘으로—.

달칵

출근했어요?

옷 갈아
입어야 되죠?

사장님, 여기서
주무셨어요?

애인하고
싸우기라도
했나?

몸은 이제
괜찮아요?

아… 네,
뭐….

어쩐지
시원찮은 모습을
보인 것 같아
부끄럽네요.

그 얼굴로
서빙도 못 하는데
왜 나왔어요?

그래도 주방 일은 도울 수 있잖아요.

……

…백선우 씨.

저번에 식자재 문제로 심한 말 해서 미안했어요.

셰프 잘못인 걸 아는데 그럴 수밖에 없었어요.

괜찮아요.

이해해요.

......

살랑

이러고
있으니까

꼭 고딩 때로
돌아간 것 같네.

함부로
만지지 마.

무슨
짓이야?

백선우 씨
게이입니까?

내가
그런 눈으로
쳐다보지 말랬지.

더 지껄이면,

네 친구처럼
묵사발을 만들어
놓을 줄 알아.

그러게요.

저는
게이일까요,

아니면

241

사장님을
좋아하는 걸까요?

…내 알 바
아니죠.

정 궁금하면,
다른 남자와
키스해보면 알겠네.

아니,
섹스 해보면
더 정확하게
아는 거 아냐?

그때
그 형이라는
사람과 해보든가.

너를 기다려

I'll be here for you.

우리집, 정말 아무것도 없어.

라면이면 된다니까.

가는 길에 사서 가도 되고.

근처에 슈퍼 있지?

......

그ㅡ.

날씨도 좋은데, 근처 공원에 가자.

먹을 거 사서.

어?

뭐… 그래도 되고.

…유정아.

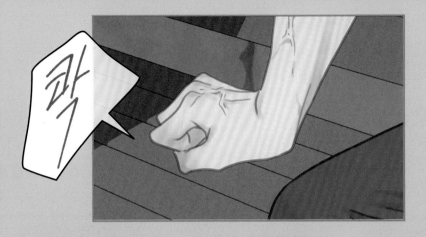

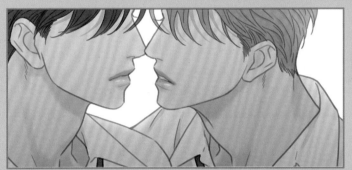

뭐?

뭔지
모르지만,

하지
말라고.

딱

잠깐
얘기 좀 해.

어??

어….

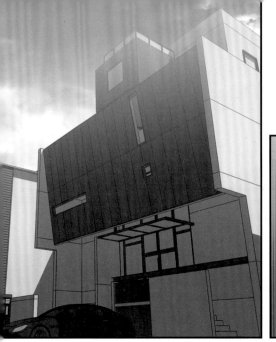

안녕하세요, 사장님.

꾸벅

끼이

254

사장님,
우리 주방에
사람 언제 와요?

조만간 인턴
들어올 겁니다.

여잔가요??

제발 여자요,
사장님!

여직원은
대표님이 싫어한다는
얘기가 있던데.

⋯⋯

누가
그런 얘길 해요?

누구긴요.
알 사람 다
아는 얘기구만.

근데 창수야,
여직원 오면
뭐 하냐?

아, 셰프!!
너무한 거
아니에요?

막내가 있는데,
널 거들떠나
보겠냐, 크큭.

네?
저요?

뭐가 저렇게
아무렇지도 않아?

형.
저 차였어요.

우냐?

안 울어요.

왜
안 우냐?

사실은
별 기대가
없었거든요.

결과를
예상해서인지 의외로
담담하네요.

근데, 출근해서
얼굴 보니까
또 좋아요.

좋은데,

슬퍼요.

그러니까,

동호회 형인가 하는
사람도 아는데,
나만 모른다 이거지?

백선우.

대체 뭘
숨기고 싶은 건데?

사장님, 일찍 나오셨네요.

백선우 씨도 일찍 출근했네요.

어?

설마….

기유정???

너를 기다려 1

2023년 11월 15일 1판 1쇄 인쇄
2023년 11월 30일 1판 1쇄 발행

글 · 그림 이현숙

발행인 황민호
콘텐츠2사업본부장 최재경
책임편집 송경미
표지 디자인 김영주
본문 디자인 중앙아트그라픽스
발행처 대원씨아이㈜

서울특별시 용산구 한강대로 15길 9-12
Tel. (02) 2071-2000
FAX. (02) 6352-0115
1992년 5월 11일 등록 제3-563호

문의 : 영업 02) 2071-2072 / **편집** 02) 2071-2044

ISBN 979-11-7124-573-4 07810
ISBN 979-11-7124-572-7 (세트)